LARGE PRINT PUZZLES WORDSEARCH

igloobooks

igloobooks

Published in 2021
First published in the UK by Igloo Books Ltd
An imprint of Igloo Books Ltd
Cottage Farm, NN6 0BJ, UK
Owned by Bonnier Books
Sveavägen 56, Stockholm, Sweden
www.igloobooks.com

Copyright © 2018 Igloo Books Ltd

1221 002
2 4 6 8 10 9 7 5 3
ISBN 978-1-78905-493-4

Cover designed by Stephanie Drake

Puzzle compilation, typesetting and design by:
Clarity Media Ltd, http://www.clarity-media.co.uk

Printed and manufactured in China

Contents

The World Wide Web

```
P C E G A Q S U U N R O N R R
E M M U R O F L N C S C J S R
N O A T H N L K W V Z H E U E
G N I M A L F R T C E A A R V
T Y L N R E V O Y E R T Z I R
B Y D C D U T W L C A R K V E
J W P N W G R T H R R O H I S
A V A T A R X E E Y X O X B T
T P H O R B N N T U A M V S R
M O U S E G D L D I Q U A M E
W A U B I G D A T A S I I S A
U S P N W I F I O U O B T A M
O T E S F T I C J R L L E E I
E E D O W N L O A D B N P W N
R A R T R P A S S W O R D U G
```

AVATAR	FORUM	SOCIAL NETWORK
BIG DATA	HARDWARE	SPAM
BROADBAND	MOUSE	STREAMING
CHAT ROOM	NETIQUETTE	UPLOAD
DOWNLOAD	PASSWORD	VIRUS
EMAIL	SEARCH ENGINE	WEBSITE
FLAMING	SERVER	WI-FI

French Wine-producing Regions

```
I  C  A  S  R  A  B  H  E  O  T  R  S  U  G
R  E  O  O  S  X  P  P  U  J  R  B  C  R  D
M  N  S  G  A  V  U  A  T  L  T  R  P  P  M
L  I  E  T  N  D  M  A  U  R  Y  L  S  R  T
Z  A  N  H  C  A  B  A  G  I  O  S  E  A  P
C  R  R  E  E  J  C  Q  C  R  L  G  D  O  B
T  U  E  R  R  Z  L  H  E  O  A  L  R  I  A
M  O  T  M  R  V  A  M  U  C  N  M  A  I  N
U  T  U  I  E  M  O  R  R  S  T  N  B  C  Y
S  I  A  T  P  P  A  I  C  R  E  A  A  A  U
C  F  S  A  F  R  O  N  S  A  C  T  C  I  L
A  L  G  G  V  P  K  Z  C  H  A  B  L  I  S
D  N  D  E  H  L  F  L  N  F  S  R  W  H  L
E  C  N  E  V  O  R  P  P  R  L  L  Y  L  E
T  H  P  A  M  T  Y  K  A  S  A  C  G  R  R
```

ALSACE	FITOU	MUSCADET
BANYULS	FRONSAC	PAUILLAC
BARSAC	HERMITAGE	POMEROL
CABARDES	MACONNAIS	PROVENCE
CHABLIS	MARGAUX	SANCERRE
CHAMPAGNE	MAURY	SAUTERNES
COGNAC	MINERVOIS	TOURAINE

Lots Of Deserts

```
S E N T L M Z R F E C G R M M
D L A A E Y U R Q G H M W N I
D E R K I N O S P M I S A O V
J V O L Z N S O O G H B T R E
I A N A E Y O I O R U X S D G
S J O M P T R G R E A U T O E
J O S A P P G S A A H R V S N
S M U K L Y Z Y K T U B A T Z
I M W A A H I Y N S A H A R A
N R Q N D R B I M A N P M B I
A L A B L R A P A N I Y A V S
I R A H A L A K S D Z B C J W
U B D S S T U O U Y S U A S I
E S O S I W K U A M S T T R A
K Y U G A U R Y L I B Y A N A
```

ARABIAN	KARA KUM	ORDOS
ATACAMA	KAROO	PATAGONIAN
CHIHUAHUAN	KYZYL KUM	SAHARA
GIBSON	LIBYAN	SIMPSON
GOBI	MOJAVE	SINAI
GREAT SANDY	NAMIB	SONORAN
KALAHARI	NEGEV	TAKLAMAKAN

Stars

```
V P Y Y U S E U B S C P B E N
M P H U P O L L U X A I U A T
J K W L O S D I A D E M E W A
K A R M E R R W X H L W S B T
O P C D X I G P I H B E E O H
N E M R S T Q M R E V Z G A Z
U S U C U E T O T O P E I I Y
V R R A L X U E A O C N G T R
O Y T N U O L N L T A Y U A A
B Y P O G G R A L Z P R O I B
F Z E P E F R B E W E A L N H
Z T C U R I H U B I L N J E I
G C S S S D H S T L A R E Y
T E E L B V R T B C A S T O R
Y V U B A U A H D C C J G R O
```

ACRUX	POLARIS	SIRIUS
BELLATRIX	POLLUX	THUBAN
BETELGEUSE	PROCYON	TUREIS
CANOPUS	RANA	VEGA
CAPELLA	REGULUS	WEZEN
CASTOR	RIGEL	ZANIAH
DIADEM	SCEPTRUM	ZOSMA

Find The Dinosaurs

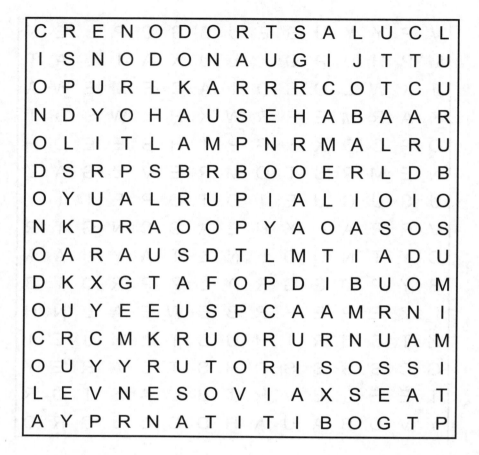

C R E N O D O R T S A L U C L
I S N O D O N A U G I J T T U
O P U R L K A R R R C O T C U
N D Y O H A U S E H A B A A R
O L I T L A M P N R M A L R U
D S R P S B R B O O E R L D B
O Y U A L R U P I A L I O I O
N K D R A O O P Y A O A S O S
O A R A U S D T L M T I A D U
D K X G T A F O P D I B U O M
O U Y E E U S P C A A M R N I
C R C M K R U O R U R N U A M
O U Y Y R U T O R I S O S S I
L E V N E S O V I A X S E A T
A Y P R N A T I T I B O G T P

ABROSAURUS	CARDIODON	HARPYMIMUS
ADASAURUS	CIONODON	IGUANODON
ALLOSAURUS	DIPLODOCUS	JOBARIA
ALOCODON	EOLAMBIA	KAKURU
ASTRODON	EORAPTOR	LEVNESOVIA
BAROSAURUS	ERKETU	MEGARAPTOR
CAMELOTIA	GOBITITAN	TIMIMUS

Hawaiian Volcanoes

```
W P M I X N L A Z P C O R L L
F K T I A K O L O M T S A E K
E T A S D F L N O R D K I D I
R A Y M R W S M U T F S P A M
O A E O M G A A E K A N U A M
L J I G M U T Y A I A E R L E
B B S O N E N D A B J O R T I
P W K A U A I Q B T R I O U M
C O L A H A N O S E O W N S K
Q O I U A M T S E W K L A G D
A N H S X T O F Y F I T L X U
C G A L U A K K I P U L A U J
I R T S P L U L O H S A H P T
B S Z A I I D A P K L M O R H
L V D X U V E S L L M H K D U
```

ABBOTT	KIMMEI	MAUNA LOA
COLAHAN	KOHALA	MEIJI
EAST MOLOKAI	KOKO	MIDWAY ATOLL
JINGU	KURE ATOLL	NINTOKU
KA'ULA	LAYSAN	SUIKO
KAMMU	MARO REEF	WEST MAUI
KAUA'I	MAUNA KEA	YOMEI

Films Shot In London

```
L S R E C I E U L B P E C B N
L I H I G H L A N D E R A R W
A W V S A S A I T T E F N O C
F E Y E N E D L O G P V L A P
Y T L R D O S O E U I R K L C
K H G I L S E S O T N W A W U
S E A P H S P T F H G S T H R
B N P Y B D V I N E T I S K Y
A A R E S R I N C I O L R H T
H N D E O T C S C E M R U L I
H N S D D R T P F R W G C D V
L Y S H A O I A U R O O A D A
U Y N O V Y M C A N U T R T R
A E S A V A G E G R A C E L G
R L R X S H P V W B M M M T D
```

ADULTHOOD	GRAVITY	SAVAGE GRACE
BAD DAY	HIGHLANDER	SKYFALL
BLUE ICE	HUGO	SPICE WORLD
CHALET GIRL	LOST IN SPACE	TEN
CONFETTI	MAN UP	THE NANNY
DIANA	PEEPING TOM	VICTIM
GOLDENEYE	PLASTIC	WE MODERNS

Playing Percussion

```
D C M E G L B T Y R O U B I P
J T A U X E Y E L G N A I R T
E T A S R L R F N L I B N C I
M Z X M T D N L D O I M E U M
B A B T Y A E F W C M I N X P
E M R U T J N R R K U R I Y A
V R U I P N C E A E R E R L N
N A W R M A S P T N D B U O I
U I H G D B G U T S S I O P K
Z N I T U O A R L P S S B H A
R S S T N T G P E I A A M O L
P T T G A C N N V E B C A N I
S I L E N O H P O L L A T E M
X C E N O H P A R B I V E A B
K K G C E L E S T A G P S Y A
```

BASS DRUM	GONG	SNARE DRUM
BERIMBAU	KALIMBA	TAMBOURINE
BONGO DRUM	MARIMBA	TIMPANI
CASTANETS	METALLOPHONE	TRIANGLE
CELESTA	OCTOBAN	VIBRAPHONE
DJEMBE	RAINSTICK	WHISTLE
GLOCKENSPIEL	RATTLE	XYLOPHONE

Eliza Doolittle

```
B S X O U S R L Q A L H Z B R
I P L O F S O E N G L I S H F
M L O R B N A L U N D I E U O
O G U P D Y D O B O N R N H H
N Y R O L L E R B L A D E S C
A I N L S L N N C U H L G O L
I G N I S S I M O J Y P Y N R
P U K C A P C A K M T I N G U
H F R E G N I S U E P T N W S
E A D C S S D S E A M O I R O
T K G A O M E E U R E T K I M
A W F R H E M O H O G R S T Y
I I Z N I A R T I T E L U E S
D Z C J G E M O D E L U R R T
E I A T H J M V I H N S A R V
```

EMPTY HAND	MODEL	POP
ENGLISH	MONEYBOX	ROLLERBLADES
GO HOME	MR MEDICINE	SINGER
HUSH	NOBODY	SKINNY GENES
LET IT RAIN	PACK UP	SO HIGH
LONDON	PIANO	SONGWRITER
MISSING	POLICE CAR	SOUL

Types Of Laser

```
F R E E E L E C T R O N E D L
T R U O P A V R E P P O C N O
C I M A N Y D S A G V C N U K
X A I P L X U H S A V I W C S
Q K R N E G O R T I N L O L N
C A R B O N M O N O X I D E U
L J U Y O I A W F Y L S M A K
O D O D P N N M A B I D D R V
Q U P Q N T D O A U G I S P F
H S A E O N O I N R A R L U M
G K V D G U S N O E A B L M A
X A D Y R U R H A X X Y E P R
P F L E A D S A L T I H W E V
U N O E N M U I L E H D T D M
A I G E X C I M E R T N E C F
```

AGIL	EXCIMER	KRYPTON
ARGON	F-CENTRE	LEAD SALT
CARBON DIOXIDE	FREE ELECTRON	NITROGEN
CARBON MONOXIDE	GAS DYNAMIC	NUCLEAR PUMPED
COIL	GOLD VAPOUR	RAMAN
COPPER VAPOUR	HELIUM-NEON	RUBY
DYE	HYBRID SILICON	XENON ION

Boys Names Beginning With 'P'

```
P  E  E  W  T  P  L  C  R  L  P  F  B  V  Z
A  T  R  I  R  K  H  S  Y  I  E  B  P  A  J
O  B  F  I  P  L  Z  I  E  R  R  E  I  P  T
L  N  Q  N  X  U  M  R  L  A  C  L  A  A  E
O  T  H  O  X  I  C  A  S  L  Y  D  C  U  S
L  S  V  T  Y  E  V  F  E  T  D  U  L  L  R
B  E  R  S  L  I  L  T  R  Y  S  A  D  N  K
A  Z  P  E  C  U  S  U  P  E  D  R  O  O  T
P  A  T  R  I  C  K  U  T  Q  K  Q  P  T  T
T  H  E  P  I  P  C  P  F  S  H  R  O  X  R
E  P  H  O  E  N  I  X  S  U  W  H  A  A  T
V  I  E  T  V  H  C  R  N  F  C  I  M  P  T
Z  S  E  P  Y  R  R  E  P  L  J  G  V  J  K
U  R  Y  T  E  B  U  U  O  B  Z  S  I  R  A
M  V  P  T  T  S  E  D  A  T  A  P  I  O  O
```

PABLO	PEDRO	PHOENIX
PADDY	PEPE	PIERCE
PAOLO	PERCIVAL	PIERRE
PARKER	PERCY	PIERS
PATRICK	PERRY	PRESLEY
PAUL	PETER	PRESTON
PAXTON	PHIL	PRINCE

Legal Terms

```
I F H X H G T P P C B A I L T
O L A A S T W Z P F A P Z A U
C J N P F I L S V B I P P W U
P P O R T S E R R A C E D Y M
I W L N H B B R S O J A R Q I
B V E E T R I B U N A L L Y T
E S Z T A T L R H O L A R R T
S E N N O I T A G I T I L U B
K L R R A R L P U T E R O J H
A X A C Q A E O C C T T E U S
P E J N E C N E D I V E J S S
B F T U D D O Y W V T R L T E
U U D E F E N D A N T D T I R
T R Y E T P R L S O T S S C U
J R I N O I T U A C C U S E D
```

ACCUSED	DECREE	LITIGATION
APPEAL	DEFENDANT	OATH
ARREST	DURESS	PLEA
BAIL	EVIDENCE	RETRIAL
CAUTION	JURY	SLANDER
CONVICTION	JUSTICE	TRIBUNAL
COURT	LIBEL	WITNESS

Seen On TV

```
E F I W D I M E H T L L A C R
R U K Y Y N E I G H B O U R S
Y E E R E L A D R E M M E A R
Z G T M A L G A G A I D K L E
Z T O E I D B O T P E R N L D
W B H V P T L R T P K A O E N
T P I E U E N O F R K G I T E
H A W G C D U O P E E O S S T
E D Z O B U U L I N E N I B S
L N J E L R B R B T W S V A A
I A R L R F O E U I S D O E E
N R M O U S H T H C I E R C A
K I O A F A W A H E H N U A A
P M U J E H T W L E T V E Q K
S I T N A L T A W L R L R R C
```

ATLANTIS	EUROVISION	THE APPRENTICE
BIG BROTHER	FOUR ROOMS	THE CUBE
BLUE PETER	MIRANDA	THE JUMP
CALL THE MIDWIFE	NEIGHBOURS	THE LINK
DRAGONS' DEN	POLDARK	THIS WEEK
EASTENDERS	QUESTION TIME	WATERLOO ROAD
EMMERDALE	STELLA	WOLF HALL

Worn On Your Feet

S	P	G	H	R	A	E	I	I	S	A	O	C	W	U
L	T	R	E	O	G	V	S	A	N	D	A	L	S	K
E	R	O	U	G	B	O	L	E	U	S	Q	O	L	I
E	A	S	O	N	L	N	L	O	G	Z	D	G	I	T
H	I	T	S	B	N	U	A	F	A	D	T	S	P	T
H	N	O	P	P	E	I	T	I	S	F	E	R	P	E
G	E	O	S	R	I	L	N	L	L	H	E	W	E	N
I	R	B	L	K	G	K	K	G	L	B	O	R	R	H
H	S	Y	P	A	T	T	E	N	S	H	O	E	S	E
S	T	O	O	B	I	K	S	S	A	H	V	O	S	E
E	K	B	S	E	O	H	S	T	R	U	O	C	T	L
L	Q	W	I	N	K	L	E	P	I	C	K	E	R	S
U	V	O	B	A	L	L	E	T	S	H	O	E	S	Q
M	E	C	B	C	T	Z	C	B	R	O	G	U	E	S
A	E	Y	R	B	R	U	C	W	H	B	S	X	R	H

ANKLE BOOTS

BALLET SHOES

BROGUES

CLOGS

COURT SHOES

COWBOY BOOTS

GOLF SHOES

HIGH HEELS

HOBNAIL BOOTS

KITTEN HEELS

LOAFERS

MULES

PATTEN SHOES

RUNNING SHOES

SANDALS

SKI BOOTS

SLIPPERS

SPIKES

TRAINERS

WEDGES

WINKLE-PICKERS

Madonna

```
V K O T T E O S I L E G N A E
H O U L R I G L A I R E T A M
A B G E E O Y X C E G I R X E
Q U P U K S G M H U N G U P U
R A C H E R I S H O I O O Z C
P E E T T M T D B V Z A G U S
K H I V H A F A A E A Q L J E
M P O I Y G L O U R M E U L R
U T I L E S I G K A A M C N I
S I D R I I P L X N P P K Q I
I A J A A D U J F D I K Y I U
C E L E B R A T I O N H S A E
I P Y Z O L U Y L V Y I T S N
E F I L N A C I R E M A A L T
S P U U O Y S S E R D F R W N
```

AMAZING	HOLIDAY	OVER AND OVER
AMERICAN LIFE	HUNG UP	PARADISE
ANGEL	JUMP	RAY OF LIGHT
CELEBRATION	LA ISLA BONITA	RESCUE ME
CHERISH	LUCKY STAR	STAY
DRESS YOU UP	MATERIAL GIRL	THINK OF ME
GONE	MUSIC	VOGUE

Fictional Dinosaurs

```
O T X P P M X X X X Y C T T X
P M S A Y Z R Z X Q O Q V F P
C M U I T S I R C O A M R K P
R L O R R D H B I L T G V F G
A B V H I R R H L L R E Z T U
T N A N C J S I V L E L T P G
P Y O B K O Z V R I Q I O R Q
E D R B Y D I N K R W P P I W
R D T O O D Q X U G C T P W B
E U I G N B E E M U C X J H A
M B R L G E S U Y P L T W E J
M Q I M G N H Q B V F F D U H
A H S H A U D W V X U F J D U
H I Y U R E G G A J E I W I R
A P J U Y E N R A B I R D O A
```

BABY	DINO	REPTAR
BARNEY	ELVIS	REX
BIRDO	GODZILLA	RIFF
BOB	HAMMER	TRICKY
BUDDY	JAGGER	TYRONE
CHOMP	MUHURU	YONGGARY
DINK	PAULA	YOSHI

Indian Drinks

```
L S B R Q T H O R T R C Y R C
A A O K O K P S G X O J R H E
D A S L M A H U A C V I U U F
P M D I M A D P O V R A M A E
I P A M C A N N Q A K L L L N
R A R M M H U T T A S O Q G N
N N S A S T H Z T B O H O N Y
A N B D W H B A I D U C O A F
M A S A L A C H A I Z O T B L
I P T B F T A J M N J G R I S
K E S A R M I L K S G N R Q F
R C O P O S D E E X K A A P T
T I T N O S A I S S A L M K F
A T E P T T H R K Z I R W P E
A O E A I K R N F A F S S H U
```

AAM PANNA	FALOODA	LASSI
BADAM MILK	FENNY	MAHUA
BANGLA	FROOTI	MANRI
CHHAANG	GUDAMABA	MASALA CHAI
CHOLAI	HADIA	SATTU
CHUAK	KANJI	SEKMAI
COCONUT WATER	KESAR MILK	SONTI

Salad Ingredients

```
Z P M N Q E S R A P R N J C P
H S J C X B T E R Z T J L C S
E H S U O Q E T O S O M A R E
L C U C U M B E R O M F T I T
O A F H M U A K T R A D I S H
T N W I T S M C U R T L A J P
F I I C A T B O O E O R L H D
W P S O U A O R J L T O E I A
P S S R N R O Y R I L A T R D
T F E Y P D S D C E I E T M W
Z H R T I E H H A E P V U A F
D R C A R R O T H C L P C E A
R M B E J K O L E G O E E V L
C H I V E S T V H Z A V R P R
S Q S W I S S C H A R D A Y U
```

ARTICHOKE	CHIVES	PEPPER
AVOCADO	CRESS	RADISH
BAMBOO SHOOTS	CUCUMBER	ROCKET
BEETROOT	DILL	SORREL
CARROT	LETTUCE	SPINACH
CELERY	MUSTARD	SWISS CHARD
CHICORY	ONION	TOMATO

Light Or Dark

```
P D V X G H B E A M I N G A O
I X P F A L D O U T G N N P S
J U A R D J O R V D I V I V R
N B N M U T K O A E B K L E A
R K O S C Y S O M B R E Z I D
R S A R B D S B P Y I C Z O I
M I D T O A T P R S G S A Z A
Y P K U N H Z E V L H I D S N
E R L R L S S T N I T L R U T
P U S G O L D E N E U V Y O O
U J J G L O W I N G B E D N P
E S Y A E S N E T N I R U I A
N G E X R G D S A U I Y O M C
N S E L G K Z Y N W P S L U P
S T E P A H B P T U Q P C L S
```

BEAMING	GLOOMY	RADIANT
BRIGHT	GLOWING	SHADY
CLOUDY	GOLDEN	SHINING
DAZZLING	INTENSE	SILVERY
DIM	LUMINOUS	SOMBRE
DRAB	MURKY	TENEBROUS
DULL	OVERCAST	VIVID

Homophones

```
H V L R M E E S M A E S I R A
G W F A E E H O M Z T N O L E
U O P T I W E M P E P A T B L
O S S R S R O T A Q J A T A O
D C O L O N E L K E R N E L O
E N N T M F S S F A H E U L S
O M S E N T I R L R F F V B R
D Y U V E I E T O A U O S A E
K H N E G L E N P S E O P W S
E M L X B R R F L R E R L L T
Y I T E T U O R T O O R E F W
Q H L I N K S L Y N X P O C R
U R L R M A D E M A I D H W E
A L A A T D B A I T B A T E S
Y E E H S T E E F T A E F S T
```

ALTAR-ALTER	FAINT-FEINT	PROFIT-PROPHET
BAIT-BATE	FEAT-FEET	REST-WREST
BALL-BAWL	FLOUR-FLOWER	ROOT-ROUTE
CEREAL-SERIAL	HIM-HYMN	ROSE-ROWS
COLONEL-KERNEL	KEY-QUAY	SEAM-SEEM
DOE-DOUGH	LINKS-LYNX	SON-SUN
EARN-URN	MADE-MAID	STEAL-STEEL

Around Mexico

```
T T T I J U A N A S O N Y E R
V S E O H D U R A N G O Y S T
U H L R E U K I V C L E E R T
M Y E R R E T N O M A L S U A
Y I C D M K M O R E L I A U M
T K A M O Y M E X I C A L I P
L W T R S I K H S H T T R U I
N M E X I C O C I T Y A A D C
S A P A L Q J H A H P H J G O
P Y E L L O U U P U T R Z O U
A A C B O A A R A O W O L S T
S L T E H L L T L R J Q T E A
Z E R U Y L O U A X E T Y D T
A C A P U L C O X T R Z E M S
U I A A C A N C U N B P H T Z
```

ACAPULCO	HERMOSILLO	MORELIA
CANCUN	IRAPUATO	PUEBLA
CELAYA	JUAREZ	REYNOSA
CHIHUAHUA	LEON	TAMPICO
CULIACAN	MEXICALI	TIJUANA
DURANGO	MEXICO CITY	TOLUCA
ECATEPEC	MONTERREY	XALAPA

Around The UK

```
L R W W T F F I D R A C P E Q
M U F M O H E R E F O R D P Y
C F A Z H K I B I V F V R N M
B C B A T H I R E R R N O B U
L D S S U B I N O T O T F S S
A R I A O S T A G T T C D L J
Q O G L M R X P P I C U L O Y
D F D I Y S A M N A T H I N P
V D S S L E A G M E B T U D N
R A O B P H H B G L A S G O W
C R R U T A R S U X L A S N P
U B I R M I N G H A M F R O B
K R O Y D U R H A M T L K E A
K N R G T O S R R E T E X E E
A B E R D E E N Z A Y B N E T
```

ABERDEEN

BATH

BELFAST

BIRMINGHAM

BRADFORD

CAMBRIDGE

CARDIFF

COVENTRY

DURHAM

EXETER

GLASGOW

GUILDFORD

HEREFORD

LONDON

NORTHAMPTON

NOTTINGHAM

PLYMOUTH

SALISBURY

TENBY

WOKING

YORK

Four-letter Words

```
E X C P T S T I X B G J K O R
T E L O T T U S C W L D N P K
V M A H R L U O K M M R S P T
P S C U Z L R C Q Z D O V T B
P A F B V M F R B C S P K G S
Q W J P H T A S T A B M S R A
E L E X B S Q B O L B A E B S
M Y A U V S E S U F T C D S S
W X L P S P Q E S D L A O G R
N S B W S E U A K A O K O M M
L Z D I W L I N K O U E R B A
O O I B C D T E I R J T I F L
O K J P T R E E S A V I N X V
L U N U U N Z E T I M B A S E
E I R O M S M W V W T E B M A
```

BASE	DESK	MAIN
BITE	DOOR	MITE
BLUE	DROP	QUIT
BOAT	GOAL	ROAD
CAKE	JOKE	SAID
CALF	LAKE	TREE
CAMP	LINK	VASE

Genres Of Film

```
G R Z W P B U C E T A R Z R A
U A O R T W X B A C T I O N S
Q Y A U P S T W L Y D E M O C
B I R S L A S H E R R H B I I
O D E E U L A C I S U M U T F
F B T C T P E O E T T A A I
C S S N Y S E R H R S E E M B
O I G A W I A R U L I L R I A
S N N M V N I S H T D T O N T
P O A O R L Z D I E N G A A S
T X G R L C H I L D R E N S O
L Y R E T S Y M F A F O V S U
F C R I M E J H P N W A N D I
N D R O R R O H F G D R A M A
F A N T A S Y F E X Q O V X A
```

ACTION	DISASTER	ROMANCE
ADVENTURE	DRAMA	SATIRE
ANIMATION	FANTASY	SCI-FI
BIOGRAPHY	GANGSTER	SLASHER
CHILDREN'S	HORROR	SUPERHERO
COMEDY	MUSICAL	THRILLER
CRIME	MYSTERY	WESTERN

Jessica Alba

```
T A C T R E S S H U A I N Q R
H T I G P H R L L I B T E E M
T H N N A G O T Q Z P D R N O
T E T R R O T N H V E E E T D
L L O R A O I H E E U A H O E
P O T S N D F E E Y T R W U L
L V H A O L R I K E H E O R S
P E E P I U E O L A Y L N A P
S G B O D C P G W A W E P G T
D U L M E K P A N A C A M E U
M R U O F C I T S A T N A F O
L U E N F H L L L K K O C R R
L Z P A U U F N A C I R E M A
L X Y T I C N I S O T P A K R
Y H S R U K B P P V E A A D G
```

ACTRESS	ENTOURAGE	MODEL
AMERICAN	FANTASTIC FOUR	PARANOID
AWAKE	FLIPPER	POMONA
CALIFORNIA	GOOD LUCK CHUCK	SIN CITY
CAMP NOWHERE	HONEY	THE EYE
DARK ANGEL	INTO THE BLUE	THE LOVE GURU
DEAR ELEANOR	MEET BILL	THE TEN

The World Of Work

```
R N I S R U O H O R E Z L T V
I N T E R V I E W X C T A F S
M R A N I M E S P D N R N P Y
N E E W E H U E Y Y A A O R R
H P T A E M R Q Q J L I I E A
Z I A C H I E V E M E N T S L
N I S R E I V G F M E I A E A
T M T N T X X E A A R N C N S
A D C H Y T P K R N F G O T L
E E E O R Q I E S L A I V A L
T I J L R M P M R U A M F T I
O I O I E F H L E T N U Z I K
O L R D E L E G A T I O N O S
B U P A B E N E F I T S B N Y
W A R Y E F U L L T I M E M A
```

ACHIEVEMENTS	FREELANCE	PROJECTS
ANNUAL REVIEW	FULL-TIME	SALARY
BENEFITS	HOLIDAY	SEMINAR
BONUS	INTERVIEW	SKILLS
DELEGATION	MANAGEMENT	TRAINING
EXPERIENCE	PART-TIME	VOCATIONAL
EXPERTISE	PRESENTATION	ZERO HOURS

Embroidery Terms

```
G P G A P P L I Q U E U R J N
N C U D I L E E S A O I U L T
I B A C K I N G T X I M S H X
P H E F K S Y Q T T P L R F E
P R O A I E H S A S E M A R F
A E N O N L R G T T H R E A D
G L S D P S L I N L K R I O S
N G H C T I T S N I T A S N Q
I N O W I C N I T G M Y S Z G
G I O V H Z S G T I I M O M P
G P S N K T C S I C T S I T D
A O P Q E L L I N E H C E R R
L O C K I N G S T I T C H D T
F L W D B G Z Y A E M B L E M
O D B O B B I N E E D L E M S
```

APPLIQUE	FILL STITCHES	LOCKING STITCH
BACKING	FLAGGING	LOOPING
BEAN STITCH	FRAME SASH	NEEDLE
BOBBIN	GAPPING	PUCKERING
CHENILLE	HOOPING	SATIN STITCH
DESIGN	JUMP STITCH	THREAD
EMBLEM	LETTERING	TRIMMING

The Piano

```
B K N D S O S S O T P G P N O
R E M M A H O U T U R L D I P
I Y U N A C O R D A C C S I E
D S H R T H B L N O L R E R D
G C P A O O C D F X R F C H A
E S V R K R O F G N I N U T L
O E I L H D R A O B D N U O S
A M B O O N A B N A X G T R
P A P X N P A A C E L D D I M
T R V L K H N E N O T R E V O
S F R V Y O T D S R U O Y N N
E Q F U T N E M U R T S N I I
R B A E O E U P R I G H T H U
F A S X N W S M L S L B U I V
U U P R K E Y B O A R D W O C
```

ACOUSTIC	HONKY-TONK	OVERTONE
BRIDGE	INSTRUMENT	PEDALS
CHORDOPHONE	KEYBOARD	SHARPS
FLATS	KEYS	SOUNDBOARD
FRAME	MIDDLE C	TUNING FORK
GRAND	NOTES	UNA CORDA
HAMMER	OCTAVE	UPRIGHT

Types Of Bat

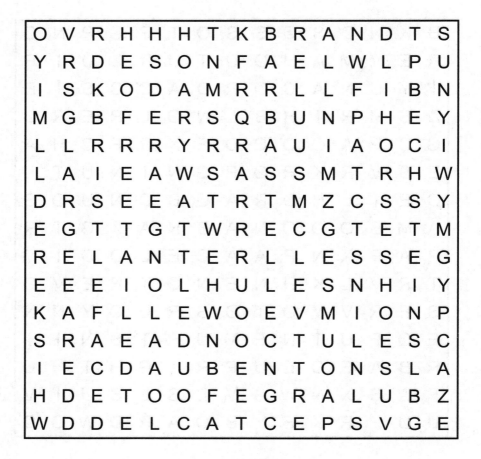

```
O V R H H H T K B R A N D T S
Y R D E S O N F A E L W L P U
I S K O D A M R R L L F I B N
M G B F E R S Q B U N P H E Y
L L R R R Y R R A U I A O C I
L A I E A W S A S S M T R H W
D R S E E A T R T M Z C S S Y
E G T T G T W R E C G T E T M
R E L A N T E R L L E S S E G
E E E I O L H U L E S N H I Y
K A F L L E W O E V M I O N P
S R A E A D N O C T U L E S C
I E C D A U B E N T O N S L A
H D E T O O F E G R A L U B Z
W D D E L C A T C E P S V G E
```

BARBASTELLE	HAMMER-HEADED	LONG-EARED
BECHSTEIN'S	HOARY WATTLED	NECTAR
BRANDT'S	HORSESHOE	NOCTULE
BRISTLE-FACED	LARGE-EARED	PIPISTRELLE
DAUBENTON'S	LARGE-FOOTED	PYGMY
FREE-TAILED	LEAF-NOSED	SPECTACLED
FRUIT	LEISLER'S	WHISKERED

UK Fashion Designers

```
A C A E Z K I F I A E B R P H
D B E R A R D I R O E E G L I
S O W K T P R R Z A R C H E R
Z A S H L E Y F M F Q K N E N
E T S G D A X C C E U H M C B
S E Y S O L T I Q P A A G H P
S N B G O L T Y U Z N M O U Y
T G U E W O D E E U T L V P P
A F R A T I N I E L L Z A F W
T E B T S T D L N A I I P O R
C L E M E N T S N G R A X G L
K I R K W O O D S K N A B S I
T R R S P G E H O D B U E G R
D O Y E N I A R R A C J A E T
C B S C E R S R A L S T U G W
```

ARCHER	BURBERRY	KIRKWOOD
ASHLEY	CARR	MCQUEEN
BAILEY	CLEMENTS	PUGH
BANKS	EMANUEL	QUANT
BECKHAM	FRATINI	RAINEY
BERARDI	GOLDING	SASSOON
BOATENG	HOLLAND	WESTWOOD

Maroon 5 Songs

```
D R E V O L S I H T E J N D S
A E K W R E V I H S M W A Y T
S I I A U W R B E I C Y S M P
U S R K N X F N S O L U T L O
N R T E A U L E U I E V O N T
D M S U W U R U G S K V E U S
A U Y P A Y P H O N E M R A T
Y S K C Y B T O O S O H E A N
M T C A L T I W O R D M T A A
O G U L S P A M E O I V T T C
R E L L E T E N U T R O F R G
N T T Z L B I R G Q R Y W D N
I O P R O G Z O D L C A L E L
N U A D H T S E C R E T Z S I
G T Y T I C K E T S T D E M W
```

CAN'T STOP	MISERY	SHIVER
DAYLIGHT	MUST GET OUT	SUNDAY MORNING
FORTUNE TELLER	ONE MORE NIGHT	TANGLED
HOW	PAYPHONE	THE SUN
LOVE SOMEBODY	RUNAWAY	THIS LOVE
LUCKY STRIKE	SAD	TICKETS
MAPS	SECRET	WAKE UP CALL

Towns In New Zealand

```
E W S K O T O U P S E D Q W S
U A N A E T X N O S L E N S T
A O F B A R I H I A W A K C U
A U U K Z R I N Y U P Q E A Q
U L A Z R D L K G I F M L R T
T K A R D N A X E L A E O T R
A O O S C A G R R R E I L E Y
I P H U I L I U F S I W A R R
R U S A K K F A T I A Z O T S
U S D O K C I O T T E T R O V
A T E R S U N T X I O L X N D
M L X E T A N Z O T A F D X Q
V M M A H T L E A P O K J I W
T I K P Y A L K B R O N I Z A
Q S R K E I I R D N V A U A S
```

ALEXANDRA	KAITAIA	OTAKI
AUCKLAND	KERIKERI	OXFORD
CARTERTON	LEESTON	PAEROA
DARFIELD	NAPIER	TAIRUA
ELTHAM	NELSON	TAKAKA
FOXTON	OHAKUNE	TE ANAU
INGLEWOOD	OPOTIKI	WAIHI

Countries

```
A E F H I A D A N A C H F J U
S Z I M A L A Y S I A R L A A
E I S A M J E P E R U S R M T
M L E L I O S P C E S M S A E
A E I J S R N Q O G T P X I Z
T B X H R B E G L L R B Z C T
J T U I C A A G O A A I R A Q
A J X C C R T N I L L N K M Y
R D E E R O P A G N I S D B M
F Q R O U O E E Q L A A A O I
X O M A D A G A S C A R Z D L
G M Z Q I A I S E N O D N I X
Z U Z Z A D W A E V Z P E A T
I Z X U F G N U U A R O R S U
L G P E G A G I P W C A Q T H
```

ALGERIA	CUBA	MEXICO
AUSTRALIA	INDIA	MONGOLIA
BANGLADESH	INDONESIA	NIGERIA
BELIZE	IRAQ	PERU
CAMBODIA	JAMAICA	POLAND
CANADA	MADAGASCAR	QATAR
CHILE	MALAYSIA	SINGAPORE

Grammar

```
U G A J M B U U L G T S P R E
W E L C I T R A M M A R G L C
O F I A A C C E N T O F C S N
R L I Y A I Q Y V N Q T O A E
D O S G E N C W O D L L C T T
S R I O S D O U A M A T I C N
Y X U L U I N D E F I N I T E
L Q M O A R J D J V W Z O I S
L U E M L E U T E U I R R S S
A I K Y C C N Y T X S S R Z T
B L O T S T C O U Q E S S M B
L D I E V I T A R E P M I A P
E V I T A C I D N I S S P V P
E A D C L N O I S S E R P X E
U S U B J U N C T I V E J U S
```

ACCENT	DEFINITE	JUSSIVE
ACTIVE	ETYMOLOGY	PASSIVE
ADJECTIVE	EXPRESSION	PRONOUN
ADVERB	GRAMMAR	SENTENCE
ARTICLE	IMPERATIVE	SUBJUNCTIVE
CLAUSE	INDICATIVE	SYLLABLE
CONJUNCTION	INDIRECT	WORDS

New York

```
I D N A L S I Y E N O C S F Y
A S E L L I H E L B R A M A A
V E E D I S T S A E R E W O L
R J S L N N A T T A H N A M R
G F T L H A T U L Z K E R E B
R Y X I E M L R F E I I V O R
E H N H O H O S I J I I S H O
E L O Y L N C N I B R T W A O
N K R A P L A R T N E C A R K
P L B R U C F R O G E C T L L
O T E R I U S S A Z O T A E Y
I J H U M I D T O W N M A M N
N S T M Q U E E N S N H E T W
T E E C H I N A T O W N Z R S
I R S H D R O N W A L B A N Y
```

ALBANY	HARLEM	MONTGOMERY
BROOKLYN	HUDSON RIVER	MURRAY HILL
CENTRAL PARK	LITTLE ITALY	QUEENS
CHELSEA	LOWER EAST SIDE	SOHO
CHINATOWN	MANHATTAN	STATEN ISLAND
CONEY ISLAND	MARBLE HILL	THE BRONX
GREENPOINT	MIDTOWN	TRIBECA

'A' Tulip

```
Z F A P R I C O T B E A U T Y
T O A M U A B A B I L A V L L
A I R G E L A H T A G A L K U
N A I U U R P F B R R L L H A
T J S I O L I A G I B A O R A
W A T A Q T M C A A V D T A M
E B O M M A L V A I A D T M S
R B C E S L X G G N E I E B T
P E R T P S B N G C D N R A E
Y Y A H E X O E O P E R G S R
T R T Y O N L A L L U R E S D
H O S S U I D B Y T N R L A A
A A T T Q J R U Y F E S L D M
L D O U Z G P O L D V U A O O
E A E T R A T S A W A N E R W
```

ABBEY ROAD	ALLEGRETTO	ANTWERP
ABIGAIL	ALLURE	APRICOT BEAUTY
AGATHA	AMBASSADOR	ARISTOCRAT
ALABAMA STAR	AMERICAN DREAM	ART DECO
ALADDIN	AMETHYST	ASTARTE
ALEGRIA	AMSTERDAM	AVENUE
ALI BABA	ANGELIQUE	AVIGNON

Types Of Spoon

```
A P D N U U T L K L K R S J X
F A G R T R I R A B E A K S V
K I T P K E S I X L O I H G X
T K F D A R T Y R L R V R O Y
U W R E M O O E G G A R E E
J E B T K N L P A O P C N G L
C H L T N D E S S E R T T I I
H I Y O A B T D F T U E F D P
I B T L D O P R O H R T N I A
N P M S R U U E C O S A L T E
E A U R A I R I A G W B W O U
S R A O T L Z B Y J E L L Y L
E G T I S L P Z R A C E B T E
A A S R U O L I V E I I P U X
D A R A M N A A H D R C S I T
```

BOUILLON	JELLY	SLOTTED
CAVIAR	LADLE	SOUP
CHINESE	MUSTARD	SPORK
CHUTNEY	OLIVE	STRAW
DESSERT	PLASTIC	TABLE
EGG	RICE	TEA
GRAPEFRUIT	SALT	WOODEN

Getting Creative

```
J  P  Y  R  A  N  O  I  S  I  V  K  I  T  Z
H  O  A  E  E  D  R  A  G  T  N  A  V  A  S
H  P  Y  W  X  S  U  O  I  N  E  G  N  I  T
S  A  E  L  G  P  O  R  I  G  I  N  A  L  Y
I  R  V  A  C  E  R  U  M  G  U  J  F  X  D
L  A  I  R  U  E  N  E  R  P  E  R  T  N  E
Y  D  T  T  G  S  E  S  C  E  N  D  V  R
T  I  A  I  T  W  W  N  R  S  E  I  O  M  I
S  G  N  S  I  Z  M  G  H  A  I  F  O  F  P
D  M  I  T  N  A  D  R  O  I  T  V  U  H  S
C  S  G  I  G  Y  M  I  A  S  X  I  E  L  N
T  H  A  C  E  R  E  V  I  T  N  E  V  N  I
U  I  M  G  D  A  H  I  L  U  N  O  V  E  L
R  F  I  Y  G  N  I  T  A  L  U  M  I  T  S
N  T  O  T  E  V  I  T  A  V  O  N  N  I  R
```

ADROIT	GENERATIVE	NOVEL
ARTISTIC	IMAGINATIVE	ORIGINAL
AVANT-GARDE	INGENIOUS	PARADIGM SHIFT
CUTTING EDGE	INNOVATIVE	RESOURCEFUL
ENTREPRENEURIAL	INSPIRED	STIMULATING
EXPRESSIVE	INVENTIVE	STYLISH
FRESH	NEW	VISIONARY

Unfinished Films

```
W C M S A R R I V E A L I V E
T H E P R O F E S S O R R S T
E H T A E D F O E M A G B T O
E E N G I N E E R L P C H S X
T R W X T O P K C A J B O E I
B S T R I C K O R T R E A T U
E K S T E N A T A A A B S A Q
A R M A K O L A V E D A A M N
M O B Y D I C K J Q L R T P O
D W Q U B G B W W L F J A E D
S E S F O E U O T S I N C E F
S H I S D L K R A N A J V H N
K T S E L J U H L S A I J S R
R I N T H E H E R O I N E S S
P I P N O I T A E R C E A Z Z
```

ARRIVE ALIVE	GAME OF DEATH	RANA
BEDENI	GOSSIP	SHEEPMATES
CREATION	IT'S ALL TRUE	SINCE
DEVALOKAM	JACKPOT	THE HEROINE
DON QUIXOTE	LEGION CONDOR	THE PROFESSOR
DUS	MOBY DICK	THE WORKS
ENGINEER	NEAR DARK	TRICK OR TREAT

Getting An Education

```
S E T O N T Z S B O R S Y Q G
P U M R H S A F T S E T D I B
Z U B S U M T E A K I A T A T
S H L J E H T E M C Z S T F M
N C E X E T O Y B N U S E I V
M W A N R C D M R S F L X H H
E M R E R U T C E L P P T L T
S P N T V Y P S H W R P B Y X
R A I A S I R S R U O N O H D
E I N U E T M S K R F R O R E
R U G D D R E H C A E T K X G
G O K A A L U M N U S O A A R
I H R R R M O O R S S A L C E
L I L G G V D O C T O R A T E
I N V I G I L A T O R O T U T
```

ALUMNUS	GRADUATE	PROFESSOR
CLASSROOM	HOMEWORK	SUBJECTS
DEGREE	HONOURS	TEACHER
DOCTORATE	INVIGILATOR	TEST
EXAMS	LEARNING	TEXTBOOK
FACULTY	LECTURER	THESIS
GRADES	NOTES	TUTOR

Feeling Unwell

```
I A G O R T T J N A U S E A M
I L J O E Y G R A H T E L Z E
V K T C O U G H I N G O A N D
F B A E O A D L O C M G J E I
P N A D M N R E R A C U H U C
N E C N B P G T T E R Y E L I
U U H T B D E E H E D S D F N
X R I C Z M C R S R S E E N E
O I N F L A M M A T I O N I W
J T G E R R A T R T E T W Y O
R I N A W T E E Q S U D I I E
T S P F G D S C W U N R T S S
L T I U R S N A O R S I E K Z
D E T C E F N I R I P S A N E
U R A D K M T B S V Q O M P Z
```

ACHING	HOARSE	NEURITIS
ARTHRITIS	INFECTED	PAINS
ASPIRIN	INFLAMMATION	PARACETAMOL
COLD	INFLUENZA	SICK
CONGESTED	LETHARGY	STRESSED
COUGHING	MEDICINE	TEMPERATURE
DEHYDRATED	NAUSEA	VIRUS

Waterfalls Of The World

```
I E A E C U R B S E M A J J A
F L T A V H W E N W O R B L W
O C W H G I A L B I O N D A A
E T E U R K N M U T A R A Z I
J Y A N G E L N B F I G T W H
A Y A B H E E Q U E I Y A H I
Q U N R O R A S M F R A X R L
R K E E R C L A I N O L O C A
O O P T S D E T X S L S A B U
R L U I E E X B U P T R S I F
E A O M S R A G C G I E S E N
P H L E H F N S U N E Q R R N
M H O S O L D I M R P L P S V
E B Y O E A R U E T E I A K U
D E E Y L F A L L I B M U Y S
```

ALBION	EMPEROR	OLO'UPENA
ALEXANDRA	HALOKU	THREE SISTERS
ALFRED CREEK	HORSESHOE	TUGELA
ANGEL	JAMES BRUCE	VINNUFOSSEN
BROWNE	KAIETEUR	WAIHILAU
CHAMBERLAIN	MUTARAZI	YOSEMITE
COLONIAL CREEK	NIAGARA	YUMBILLA

Creatures Found Underground

```
I  B  G  W  E  A  S  E  L  Q  W  M  D  B  B
T  U  Q  E  R  S  T  E  B  C  A  P  A  K  P
R  T  S  G  R  R  O  S  R  U  N  O  K  H  O
L  X  V  A  Q  B  Q  O  C  L  P  S  C  A  O
B  D  R  P  A  J  I  A  G  I  T  T  U  A  L
T  L  G  D  A  I  A  L  O  N  C  N  H  R  L
E  M  G  O  L  C  O  U  D  Y  O  A  C  D  I
Q  E  E  K  P  A  B  T  E  C  E  M  D  V  D
R  W  I  E  H  H  R  N  I  W  R  S  O  A  A
R  T  L  R  R  D  E  A  R  T  H  W  O  R  M
E  X  N  E  A  K  J  R  I  A  A  Y  W  K  R
N  V  T  T  A  B  A  A  A  D  T  A  L  J  A
Y  J  T  T  Y  E  B  T  R  C  E  E  S  X  T
S  E  L  O  M  C  H  I  P  M  U  N  K  O  R
F  T  Y  N  J  L  A  L  T  E  R  R  E  F  A
```

AARDVARK	FERRET	MONGOOSE
ANTS	FOX	OTTER
ARMADILLO	GERBIL	PRAIRIE DOG
BADGER	GOPHER	RABBIT
CHIPMUNK	JERBOA	TARANTULA
CICADA	MEERKAT	WEASEL
EARTHWORM	MOLE	WOODCHUCK

Musical Instruments

```
Q T P R T E N I R A L C S A Z
C T I M P A N I U B R H P L L
O L O C C I P O W U Y C R I H
R L O L L E C E B T P A A Q I
N E Z Y A C I N O M R A H Q N
E I H T V R S G N T O E P V E
T P S V I O L I N O C R R W V
L S Z A C C O R D I O N T P B
C N R O H H C N E R F S P W O
T E E N O H P O X A S L S S M
H K L T R U M P E T L R U A O
E C I E D T L K R E M O A T B
A O L I S K S M R T D I I P E
C L B J P T R C S T J T R V I
F G T O A W A Q W C O J S L R
```

ACCORDION	FLUTE	SAXOPHONE
BASSOON	FRENCH HORN	TIMPANI
CELESTA	GLOCKENSPIEL	TROMBONE
CELLO	HARMONICA	TRUMPET
CLARINET	HARP	TUBA
CLAVICHORD	OBOE	VIOLA
CORNET	PICCOLO	VIOLIN

Palindromic Puzzle

```
P H T E T U R R G S Z R N O R
T U O S U J Y M X W P O Z S T
O I L N W S P U I O O I W S T
J P P B J I R M R N B W A O R
P U Y E P E I R T C I D D E R
P X M I S P V O L W B M A A E
R H A D S R B T I D Q N D K J
H J L T K K H F K S N R E V R
L I I G H T S A G A S O E A P
A X A T G B O P P M Y T D P O
O J S R T O B G S O L A O F P
T W E I F T F U A E R T K T E
S L P J A U C I V I C O O F E
U F T Q N F R E D D E R L O P
A L I L N S L I I L L R R S T
```

ANNA	LEVEL	RADAR
BIB	MINIM	REDDER
CIVIC	MUM	ROTATOR
DAD	NOON	SAGAS
DEED	PEEP	TOOT
EKE	POP	TOT
KAYAK	PUP	WOW

Lilies

```
L X A R I A D N E E S U L S E
V U B I G B A N G R S D I A D
E S M R S O R B O N N E J L B
L L E I C A S A B L A N C A E
E Y Z K N A T O L I L W Q S R
G R R Z A A G S K R E O R T N
A O S E A T R E A S U R E D I
N S R A T D S I T N G C D A N
T A P J O S E H E R A Y V N I
C S V I S I Y L G S O C E C T
R R U O N S T M Z I W N L E Q
O D U K N O T T K Z H A V U R
W T I A R A Z X Q N A F E Y T
N I T R E B M A H C I R T U Q
L D R E A M L A N D S P T Q X
```

ANASTASIA	ELEGANT CROWN	PINK MYSTERY
ARIADNE	FANCY CROWN	RAZZLE DAZZLE
BERNINI	HIGH STAKES	RED VELVET
BIG BANG	LAST DANCE	SEA TREASURE
CASA BLANCA	LUMINARIES	SORBONNE
CHAMBERTIN	NAVONA	SPINOZA
DREAMLAND	ORTEGA	TIARA

Imagine Dragons

```
T G A A A H A O F A A V Q S O
N O O O I A A M S G I G E A E
I O D D V N E V A D A N E G F
G Y E E R E D I T S T I M E M
H R M T V E V I S B T H R V U
T U O G N I D E E L B C A S B
V W N R D H T N R R T A E A S
I T S K C O R C U Y O H H L T
S A M S T E R D A M N C K C S
I N A M G N I K R O W I K H N
O R U L T K E O T P I T G E P
N A C I R E M A B A N D L H Y
S O E V I T A N R E T L A Y T
T I C P I O T T L A A V L R L
E T Z D R T T S G F B Y T N R
```

ALTERNATIVE	EVERY NIGHT	NEVADA
AMERICAN	FALLEN	NIGHT VISIONS
AMSTERDAM	GIGS	RADIOACTIVE
BAND	HEAR ME	ROCKS
BLEEDING OUT	INDIE ROCK	TIPTOE
CHA-CHING	IT'S TIME	UNDERDOG
DEMONS	LAS VEGAS	WORKING MAN

Pharaohs

```
S W N O S L L S L U F U H K W
U E E O O O F U J M M S A L N
Z R S A N E R N E M E S E D R
C B A U B X T N K K K H A Y U
O M H W E N K H I T H Z M N J
L V U E F A A U R Y A O E U L
S M R N R B T Y O W F I R F M
O Q E E A P E R H S R K N S N
S O R G M M E R Y K A R E S S
Q I E E Z R R S R M K W I D P
A T J S S N A A I B A M T M O
T G D U T O U N S O M A H B A
E L K R L K J I J I O R P E O
A T U T S K J D K F S K K X N
T U D U T T T R U D E O K D E
```

AMYRTAEUS	KHAFRA	NARMER
DJER	KHAYU	SAHURE
DJOSER	KHUFU	SEMENRE
HSEKIU	KHYAN	SNAAIB
IRY-HOR	MENKARE	SONBEF
KAMOSE	MERNEITH	WAZAD
KHABA	MERYKARE	WENEG

Club DJs

```
M H E L T L R S F R T T A N J
A A S S E L U J E G D U J I Q
J R R T I U O Z O G P E C C S
A D D T R P P I T F D E K Y
T W A O I P R I G F A A K Y H
S E V C I N U A M Y F K Y R U
I L I S Z E G I H R L S D O L
M L D E A A L A O N I A N M D
A S G E K L R J R W I K A E O
F A U T S M A H J R I V V R A
S S E R I C K M O R I L L O V
L H T S K S H T D V O X U A I
F A T B O Y S L I M U S A S C
X X A J R E T S A L B P P S I
R Z E D D O N D I A B L O A I
```

AFROJACK	FATBOY SLIM	MISTAJAM
AVICII	HARDWELL	NICKY ROMERO
BLASTERJAXX	JEFF MILLS	PAUL VAN DYK
CALVIN HARRIS	JUDGE JULES	SASHA
DAVID GUETTA	KASKADE	SKAZI
DON DIABLO	KATO	TEE SCOTT
ERICK MORILLO	MARTIN GARRIX	ZEDD

Perfect

```
R I W O N D E R F U L A E D I
E L B A T I M I N I A L T A X
I N C O M P A R A B L E A T R
S P L E N D I D E V A L L L R
U S U N T V O R E K U L U U E
P G E R A X T K O N Q N C N M
E S Z L E I I W S E E S A T I
R P L E H E P U A Q T E M A L
B E I D C C R O U F U T M I B
D C N O X P T A T O O B I N U
Q P N M A T L A I U H I Z T S
R P R S S L U N M A T C H E D
A T S S E L R E E P I S G D N
S E O D E A T F L A W L E S S
D S J I E L B A C C E P M I X
```

FLAWLESS	MODEL	UNMATCHED
IDEAL	PEERLESS	UNRIVALLED
IMMACULATE	PURE	UNSURPASSED
IMPECCABLE	SPLENDID	UNTAINTED
INCOMPARABLE	SUBLIME	UTOPIAN
INIMITABLE	SUPERB	WITHOUT EQUAL
MATCHLESS	UNEQUALLED	WONDERFUL

Just The Job

```
B W T D I R E C T O R L U E F
T L L R D E C O R A T O R T M
C Z X T S I T N E D N R E P R
R E H C T U B S E R A E K L A
E P O L S N A U S E I T N U L
H T E L I G A L R D C N A M T
C H I N L M R T U L I E B B R
A R Z T A H I A N I T P L E E
E Q D U N I I N L U P R G R C
T W E S R T D T I B O A F D N
Z A T R U O R E A S N C O R A
P A A B O A T K M A T Z C A D
I I Z K J T E C M O N E R A Y
H B J P E R C T O C C G R U D
K E Q W E A R A R D A G P T S
```

ACCOUNTANT	COMEDIAN	JOURNALIST
ACTOR	CONSULTANT	MANAGER
BAKER	DANCER	MINISTER
BANKER	DECORATOR	NURSE
BUILDER	DENTIST	OPTICIAN
BUTCHER	DIRECTOR	PLUMBER
CARPENTER	DOCTOR	TEACHER

US Hot Springs

```
I  S  T  G  J  M  P  K  L  P  B  J  P  F  Y
A  R  Y  O  I  L  N  J  M  R  U  B  L  I  W
M  A  Q  A  G  O  T  S  I  L  A  C  T  U  T
K  C  E  P  R  O  P  D  R  I  N  I  T  M  B
E  H  U  A  N  U  G  E  A  P  A  R  Z  O  H
O  E  C  O  T  E  O  E  C  L  V  C  O  G  E
U  N  P  M  P  E  N  P  L  S  O  L  Y  R  K
G  A  O  O  C  Z  I  C  E  O  L  E  E  O  O
H  W  R  K  F  C  B  R  P  L  O  W  L  V  Z
U  T  J  G  P  E  R  E  R  D  T  O  N  E  J
N  U  M  P  Q  U  A  E  M  U  I  D  A  R  E
R  E  S  T  I  L  H  K  D  C  M  L  M  I  E
P  S  X  N  A  E  W  M  P  I  N  I  A  R  T
S  P  I  T  L  N  E  L  A  S  E  T  A  L  S
Z  E  G  E  E  K  D  G  R  S  S  Q  A  U  G
```

BRIDGEPORT	HARBIN	RADIUM
CALISTOGA	KEOUGH	SLATES
CHENA	MANLEY	SOL DUC
CIRCLE	MCCREDIE	TOLOVANA
DEEP CREEK	MIRACLE	TONOPAH
ESALEN	MURRIETA	UMPQUA
GROVER	OURAY	WILBUR

A 'Golden' Puzzle

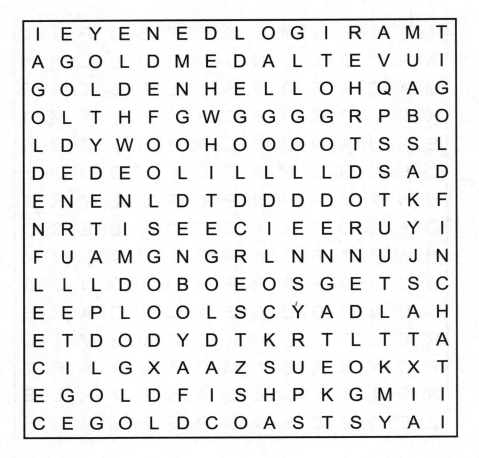

```
I  E  Y  E  N  E  D  L  O  G  I  R  A  M  T
A  G  O  L  D  M  E  D  A  L  T  E  V  U  I
G  O  L  D  E  N  H  E  L  L  O  H  Q  A  G
O  L  T  H  F  G  W  G  G  G  R  P  B  O  L
L  D  Y  W  O  O  H  O  O  O  T  S  S  L
D  E  D  E  O  L  I  L  L  L  L  D  S  A  D
E  N  E  N  L  D  T  D  D  D  D  O  T  K  F
N  R  T  I  S  E  E  C  I  E  E  R  U  Y  I
F  U  A  M  G  N  G  R  L  N  N  N  U  J  N
L  L  L  D  O  B  O  E  O  S  G  E  T  S  C
E  E  P  L  O  O  L  S  C  Y  A  D  L  A  H
E  T  D  O  D  Y  D  T  K  R  L  T  T  A
C  I  L  G  X  A  A  Z  S  U  E  O  K  X  T
E  G  O  L  D  F  I  S  H  P  K  G  M  I  I
C  E  G  O  L  D  C  O  A  S  T  S  Y  A  I
```

FOOL'S GOOD	GOLDEN BOY	GOLDENEYE
GOLD COAST	GOLDEN FLEECE	GOLDENROD
GOLD MEDAL	GOLDEN GATE	GOLDFINCH
GOLD MINE	GOLDEN HELLO	GOLDFISH
GOLD RUSH	GOLDEN OLDIE	GOLDILOCKS
GOLD-PLATED	GOLDEN RULE	MARIGOLD
GOLDCREST	GOLDEN SYRUP	WHITE GOLD

Nobel Prizewinners

```
X O I C O C K C R O F T N M X
Q K E H L S F E Y N M I E A U
M U C Y T I K A S A K A U R R
M A S I S F E R M I L U T U L
A D Y C W D Z T F D I O H S S
T A H Q A D Z G W O H S A L G
I E K G Z U A M M P J B P D
R R I C R T K H A X D Y E T A
O I S R N E N E C E P T R H A
L C S B U A B E B R I E A T V
E H I P E C L N R L P S T J R
R T N T U T P P I O U S Y A H
F E G R R U Z V D E L Z Q S H
G R E B N E S I E H W F M C A
X Y R O B A G S G L L Z Q X S
```

AKASAKI	GABOR	MACBRIDE
BETZIG	GLASHOW	MODIANO
CHADWICK	HABER	PLANCK
COCKCROFT	HEISENBERG	RICHTER
CURIE	KISSINGER	TIROLE
FERMI	LORENTZ	UREY
FISCHER	LUTULI	WEINBERG

Onesie Designs

```
B K B P R P R S E S R O H S V
V S D S Z T T P T U A R Z S I
E T I B B A R R W A A A R M T
U I N L R C I P N Y R T P I M
T E O S Y P R R A C G X D Q K
X G S K E L E T O N O E L K G
R W A S K Z E B R A D R S R P
Z Q U W N E D U C K N A I W C
F H R B O O N K O R X E I O U
F L J E M C I F B X Q B R F Y
F A S U G U E L K E H V T O L
H U W V G I R A F F E Q F S H
X X S V L K T G R P N R U Z Q
M G A W V P Q T O S K V J S S
X U U U J M U A G T A I E U P
```

BEAR	FROG	REINDEER
BEE	GIRAFFE	SKELETON
CAT	HORSE	STARS
COW	LION	STRIPES
DINOSAUR	MONKEY	TIGER
DOG	PANDA	UK FLAG
DUCK	RABBIT	ZEBRA

Solutions

No 1

No 2

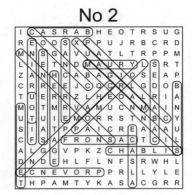

No 3

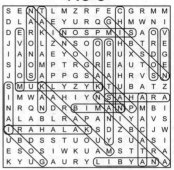

No 4

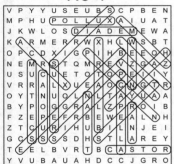

No 5

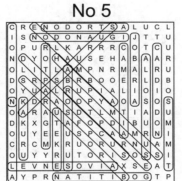

No 6

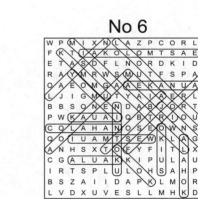

No 7

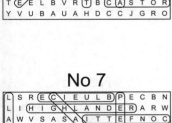

No 8

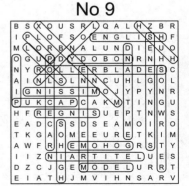

No 9

Solutions

No 10

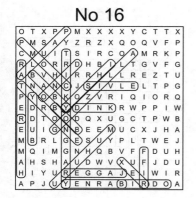

No 11

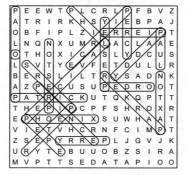

No 12

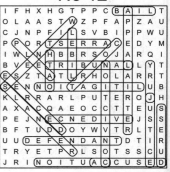

No 13

No 14

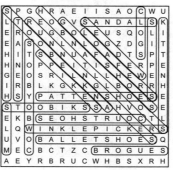

No 15

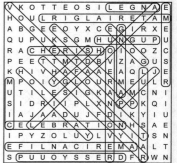

No 16

No 17

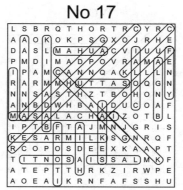

No 18

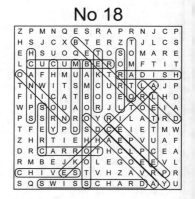

Solutions

No 19

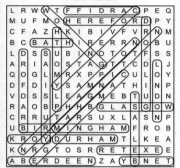

No 20

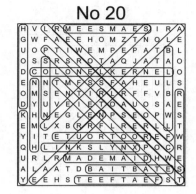

No 21

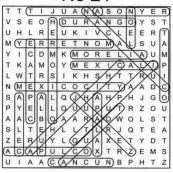

No 22

No 23

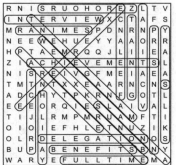

No 24

No 25

No 26

No 27

Solutions

No 28

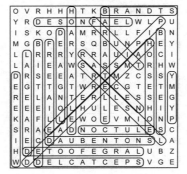

No 29

No 30

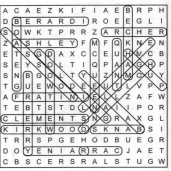

No 31

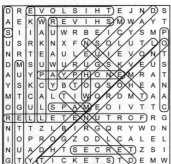

No 32

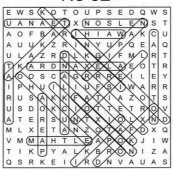

No 33

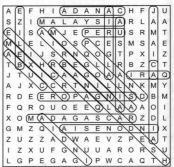

No 34

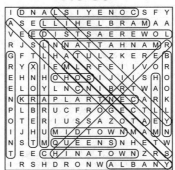

No 35

No 36

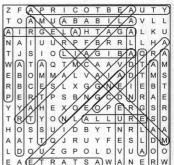

Solutions

No 37

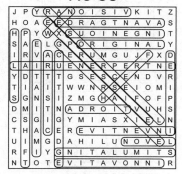

No 38

No 39

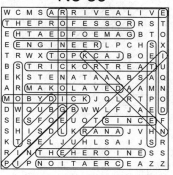

No 40

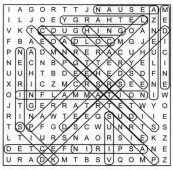

No 41

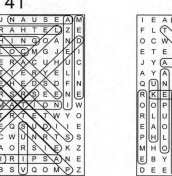

No 42

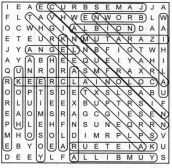

No 43

No 44

No 45

Solutions

No 46

No 47

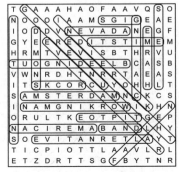

No 48

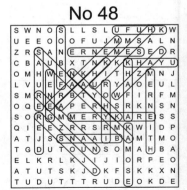

No 49

No 50

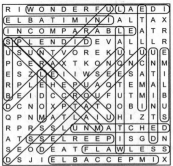

No 51

No 52

No 53

No 54

No 55

64